O Natal
nos mais belos poemas e canções

1ª Edição – novembro de 2014

Grafia atualizada segundo o acordo ortográfico da Língua Portuguesa de 1990, que entrou em vigor no Brasil em 2009.

Editor e Publisher
Luiz Fernando Emediato

Diretora Editorial
Fernanda Emediato

Editor
Marcos Torrigo

Produtora Editorial e Gráfica
Priscila Hernandez

Seleção e Adaptação
Iris Goellner

Assistentes Editoriais
Adriana Carvalho
Carla Anaya Del Matto

Capa, Projeto Gráfico e Diagramação
Megaarte Design

Revisão
Rinaldo Milesi
Juliana Amato

Dados Internacionais de Catalogação na Publicação (CIP)
(Câmara Brasileira do Livro, SP, Brasil)

O Natal nos mais belos poemas e canções : o presente que resgata o espírito natalino. – 1. ed. – São Paulo : Jardim dos Livros, 2014.

ISBN 978-85-63420-91-6

1. Citações – Coletâneas 2. Livros-presente 3. Natal – Citações, máximas etc.

14-10420 CDD-808.882

Índice Para Catálogo Sistemático

1. Natal : Citações : Coletâneas : Literatura 808.882

EMEDIATO EDITORES LTDA.
Rua Major Quedinho, 111 – 20º andar
CEP: 01050-904 – São Paulo – SP

DEPARTAMENTO EDITORIAL E COMERCIAL
Rua Gomes Freire, 225 – Lapa
CEP: 05075-010 – São Paulo – SP
Telefax: (+ 55 11) 3256-4444
E-mail: jardimdoslivros@geracaoeditorial.com.br
www.geracaoeditorial.com.br

Impresso no Brasil
Printed in Brazil

nos mais
belos poemas
e canções

O presente que
resgata o
espírito natalino

Natal em prosa e verso

Muito do sentido primordial do Natal se perdeu ou está esquecido, no entanto a data ainda é o dia mais importante do ano para milhares de pessoas pelo mundo.

Sempre associado a presentes, compras, ceias, pratos deliciosos e férias, o Natal marca o nascimento de Jesus Cristo, mas o aniversariante nem sempre é lembrado com a devida importância e com respeito, e a reflexão, a compaixão e a amizade acabam deixadas de lado nas comemorações.

Para resgatar o espírito de Natal e a importância filosófica dessa data, este pequeno livro de escritos natalinos traz poemas de autores célebres, canções e passagens bíblicas.

É um convite à celebração de boas-novas e nos fará recordar os sonhos de criança, em que um mundo melhor era possível.[1] [2]

1 Nota de esclarecimento: muitos dos trechos deste livro estão com a grafia original, que difere da atual. São textos antigos ou mesmo em português lusitano.

2 Esses textos foram estabelecidos através de diversas fontes.

Deixemos as coisas sérias!

Sou o belo mês das férias,

O belo mês do Natal!

Crianças! tendes saudade

Da casa, da liberdade,

Do carinho maternal?

Sou o belo mês da infância!

— Quem trabalhou com constância,

Debalde não trabalhou:

As aulas estão suspensas;

Tem prêmios e recompensas

Todo aquele que estudou.

Quem estudou, finalmente,

Recebe a paga, contente,

Do sacrifício que fez...

— Férias, colégios fechados

E livros abandonados!...

Eu sou das férias o mês!

Olavo Bilac, 1929.

Um homem, — era aquela noite amiga,
Noite cristã, berço do Nazareno —
Ao relembrar os dias de pequeno,
E a viva dança, e a lépida cantiga,
Quis transportar ao verso doce e ameno
As sensações da sua idade antiga,
Naquela mesma velha noite amiga,
Noite cristã, berço do Nazareno.
Escolheu o soneto... A folha branca
Pede-lhe a inspiração; mas, frouxa e manca,
A pena não acode ao gesto seu.
E, em vão lutando contra o metro adverso,
Só lhe saiu este pequeno verso:
"Mudaria o Natal ou mudei eu?"

MACHADO DE ASSIS, 1901.

Um anjo do Senhor apareceu a José em sonhos dizendo: José, filho de Davi, não tenha medo de receber Maria por esposa, pois o que nela está gerado é do Espírito Santo. Ela dará à luz um filho e chamarás o seu nome Jesus, porque ele salvará o seu povo de seus pecados.
Tudo isto aconteceu para que se cumprisse o que o Senhor falou pelo profeta:

Eis que a Virgem conceberá e dará à luz um filho, que se chamará Emanuel, que significa: Deus conosco.
José, despertando, fez como o anjo do Senhor lhe havia mandado e recebeu sua esposa. Sem que ele a tivesse conhecido, ela deu à luz o seu filho, o primogênito que recebeu o nome de Jesus.

MATEUS 1:20-25, BÍBLIA SAGRADA.

Assi todos, enfim, Senhora, venhão

A confessar hum Deos crucificado,

E por nenhum respeito de detenhão.

E d'hum e d'outro o vício já deixado.

O seu nome, co'o vosso nesse dia,

Seja por todo o mundo celebrado,

E respondão os Ceos: Jesus, Maria.

Luís Vaz de Camões, 1862.

Correndo através da neve,

Num treno aberto de um cavalo

Nós vamos sobre os campos,

Rindo por todo o caminho,

Sinos soam sobre o cavalo

Tornando os espíritos reluzentes,

Que alegria passear e cantar!

Uma canção de Natal nesta noite!

Toquem os sinos, toquem os sinos,

Toquem por todo o caminho!

Ah! Como é divertido passear,

Em um trenó aberto!

JAMES LORD PIERPONT, 1857.

Jesus nasceu. *Na abóbada infinita*
Soam cânticos vivos de alegria;
E toda a vida universal palpita
Dentro daquela pobre estrebaria...

Não houve sedas, nem cetins, nem rendas
No berço humilde em que nasceu Jesus...
Mas os pobres trouxeram oferendas
Para quem tinha de morrer na cruz.

Sobre a palha, risonho, e iluminado
Pelo luar dos olhos de Maria,
Vede o Menino-Deus, que está cercado
Dos animais da pobre estrebaria.

Não nasceu entre pompas reluzentes;
Na humildade e na paz deste lugar,
Assim que abriu os olhos inocentes
Foi para os pobres seu primeiro olhar.

No entanto, os reis da Terra, pecadores,
Seguindo a estrela que ao presepe os guia,
Vem cobrir de perfumes e de flores
O chão daquela pobre estrebaria.

Sobem hinos de amor ao céu profundo;
Homens, Jesus nasceu! Natal! Natal!
Sobre esta palha está quem salva o mundo,
Quem ama os fracos, quem perdoa o mal.

Natal! Natal! *Em toda a natureza*
Há sorrisos e cantos, neste dia...
Salve Deus da humildade e da pobreza
Nascido numa pobre estrebaria.

OLAVO BILAC, 1929.

Pastores, alegrem-se! Levantai os vossos olhos,

E enviem seus medos para longe;

Notícias vêm do céu,

A salvação nasce hoje.

Jesus, o Deus a quem os anjos temem,

Desce para habitar com você;

Hoje, ele faz a sua entrada aqui,

Mas não como monarcas fazem.

Sem ouro nem tecidos púrpuros.

Nem coisas reais brilhantes;

Uma manjedoura é o seu berço,

E sustenta o Rei dos reis.

Vão, pastores, onde o infante se encontra,

Ver seu humilde trono

Com lágrimas de alegria em seus olhos,

Vão, pastores, beijar o Filho.

Isaac Watts, 1830.

Eis que em teu ventre conceberás e darás à luz um filho, e lhe porás o nome de Jesus. Ele será grande e chamar-se-á Filho do Altíssimo, e o Senhor Deus lhe dará o trono de seu pai Davi; ele reinará eternamente na casa de Jacó, e o seu reino não terá fim.

LUCAS 1:31-33, BÍBLIA SAGRADA.

E deu à luz seu filho primogênito, e, envolvendo-o em panos, reclinou-o num presépio; porque não havia lugar para eles na estalagem.

LUCAS 2:7, BÍBLIA SAGRADA.

O primeiro Natal, dizem os anjos

Para pastores de Belém, enquanto estavam deitados.

À meia-noite, cuidando das ovelhas,

O selvagem inverno, na iluminada neve profunda.

Natal, Natal, Natal, Natal

Nascido é o Rei de Israel.

Os pastores se levantam e olham uma estrela

Brilhante no Oriente, para além deles ao longe,

Sua beleza lhes deu grande prazer.

Então, aproximando-se a noroeste,

Sobre a cidade de Belém repousou;

Os sábios entenderam a causa do repouso,

E encontraram o lugar onde estava Jesus.

CHRISTMAS CAROLS NEW AND OLD, 1871.

Diz a Sagrada Escritura

Que, quando Jesus nasceu,

No céu, fulgurante e pura,

Uma estrela apareceu.

Estrela nova... Brilhava

Mais do que as outras; porém

Caminhava, caminhava

Para os lados de Belém.

Avistando-a, os três Reis Magos

Disseram: "nasceu Jesus!"

Olharam-na com afagos,

Seguiram a sua luz.

Olavo Bilac, 1929.

Glória ao Rei recém-nascido!

Paz na Terra e suave graça

Deus e pecadores reconciliados

Alegres, todas as vossas nações se levantam

Juntos, o triunfo dos céus e

A hoste angelical proclama:

"Cristo nasceu em Belém"

Ouçam! Os anjos mensageiros cantam

"Glória ao Rei recém-nascido!"

CHARLES WESLEY, 1739.

Tendo Jesus nascido em Belém de Judá, no tempo do rei Herodes, eis que magos vieram do Oriente a Jerusalém. Perguntaram eles: "Onde está aquele que é nascido rei dos judeus? Vimos a sua estrela no oriente, e viemos adorá-lo".

MATEUS 2:1-2, BÍBLIA SAGRADA.

O Espírito Santo descerá sobre ti, e a virtude do Altíssimo te envolverá com a sua sombra; por isso também o Santo, que nascerá de ti, será chamado Filho de Deus.

LUCAS 1:35, BÍBLIA SAGRADA.

Em a noite de Natal

Alegram-se os pequenitos;

Pois sabem que o bom Jesus

Costuma dar-lhes bonitos.

Vão se deitar os lindinhos

Mas nem dormem de contentes

E somente às dez horas

Adormecem inocentes.

Mário de Sá-Carneiro, 1899.

E os Magos viram que, ao fundo

Do presépio, vendo-os vir,

O Salvador deste mundo

Estava, lindo, a sorrir

Ajoelharam-se, rezaram

Humildes, postos no chão;

E ao Deus-Menino beijaram

A alva e pequenina mão.

OLAVO BILAC, 1929.

Chove. É dia de Natal.

Lá para o Norte é melhor:

Há a neve que faz mal,

E o frio que ainda é pior.

E toda a gente é contente

Porque é dia de o ficar.

Chove no Natal presente.

Antes isso que nevar.

Pois apesar de ser esse

O Natal da convenção,

Quando o corpo me arrefece

Tenho o frio e Natal não.

FERNANDO PESSOA, 1930.

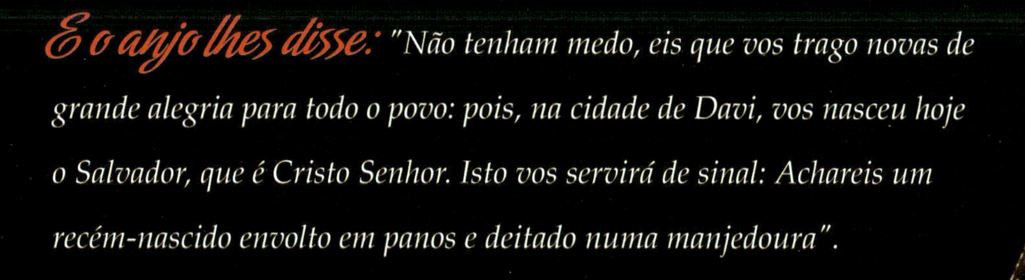

E o anjo lhes disse: *"Não tenham medo, eis que vos trago novas de grande alegria para todo o povo: pois, na cidade de Davi, vos nasceu hoje o Salvador, que é Cristo Senhor. Isto vos servirá de sinal: Achareis um recém-nascido envolto em panos e deitado numa manjedoura".*

LUCAS 2:10-12, BÍBLIA SAGRADA.

Entrando na casa, *os magos acharam o menino com sua mãe, Maria. Prostrando-se diante dele, adoraram-o. Depois, abrindo seus tesouros, ofereceram-lhe dádivas: ouro, incenso e mirra.*

MATEUS 2:11, BÍBLIA SAGRADA.

Ao teu olhar religiões sem número,

Com ritos, cultos, cheios de fulgores,

Desambam, como as pétalas das flores

Ao Sol que as reproduz!...

Que um novo Ideal d'amor, de ti nascido,

Trajando d'ouro e púrpura o horizonte,

Das sombras de hoje, esplêndido desponte,

A dar-nos nova luz!...

MANUEL DE ARRIAGA, 1899.

Para Belém os pastores correram felizes,

Para ver a maravilha que Deus tinha feito para o homem;

E descobriu, com José e a abençoada Virgem,

Seu filho, o Salvador, posto em uma manjedoura;

Surpresos com a história maravilhosa que anunciam,

Os primeiros arautos do nome do Salvador.

John Byrom, 1749.

[...] *Natal celebraremos*

Hoje e sempre: teus amigos

Somos na lealdade antigos,

E no ardor novos seremos,

No desvelo em te adorar:

Porque tu és o Ideal

Da só beleza – do Bem;

Não és estranha a ninguém,

E de ti só foge o mal

Que te não pode encarar.

ALMEIDA GARRETT, 1853.

Alçam seu voo por toda a Terra;

Vós, que cantaram a história da criação,

Agora proclamam o nascimento do Messias:

Pastores, obedientes nos campos,

Cuidam dos seus rebanhos durante a noite,

Agora Deus habita com o homem

Lá brilha a nova luz:

Visões mais claras irradiam ao longe;

Procurem o grande desejo das nações,

Vocês viram a estrela natal.

Venham adorar, venham adorar

Adorar a Cristo, o Rei recém-nascido.

James Montgomery, 1816.

Ó pequena cidade de Belém,

Quão calma nós a vemos repousar

Acima de teu sono profundo e sem sonhos

As estrelas silenciosas passam;

No entanto, em tuas ruas escuras brilha

A luz eterna;

As esperanças e medos de todos os anos

Estão reunidos em ti esta noite!

Cristo, nascido de Maria,

Reuniu todos acima,

Enquanto mortais dormem,

Os anjos mantêm a sua maravilhosa vigília de amor.

Ó estrelas da manhã, juntas

Proclamam o nascimento santo,

E louvores cantam ao Deus nosso Rei,

E paz na terra aos homens!

PHILLIPS BROOKS, 1865.

Em toda a Holanda, no Norte, na Zelândia, na Frisa, a cozinha rural tem o mesmo aspecto e o mesmo tipo consagrado, tradicional, muitas vezes reproduzido, nos adoráveis quadros de interior da pintura holandesa, nas aconchegadas cenas de família, das alegres festas de Natal, dos Reis e de S. Nicolau, descritas nas pequenas telas incomparáveis de Jan Steen, de Van Ostade, de Gerardo Dov.

Ramalho Ortigão, 1894.

Cruzado aperta ao seio

A mãe o filho seu,

Que busca, mal nasceu,

Fontes da vida e amor

Surges, símbolo eterno,

No Céu, na Terra e mar,

Do forte no expirar,

E do viver no alvor!

Alexandre Herculano, 1838.

Que criança é esta, *que, colocada para descansar,*
Está dormindo no colo de Maria?
Quem os anjos saúdam com hinos doces,
Enquanto pastores estão vigiando e cuidando?

Este, este é Cristo, o Rei,
Por quem os pastores *velam e os anjos entoam cantos:*
O Bebê, o Filho de Maria! [...]

Então traga para ele incenso, ouro e mirra,
Venha, camponês, para conhecer o próprio rei.
O Rei dos reis traz a salvação;
Deixem seus corações *amorosos entronizar-Lo.*

William C. Dix, 1865.

No ermo agreste, da noite e do presepe, um hymno

De esperanga presaga enchia o ceu, com o vento...

As arvores: "Seràs o sol e o orvalho!" E o armento:

"Teràs a gloria!" E o mar: "Venceràs o destino!"

E o pào: "Daràs o pào da terra e o pào divino!"

E a agua: "Traràs allivio ao martyr e ao sedento!"

E a palha: "Dobraràs a cerviz do opulento!"

E o tecto: "Elevaràs do opprobrio o pequenino!"

E os reis: "Rei, no teu reino, entraràs entre palmas!"

E os pastores: "Pastor, chamaràs os eleitos!"

E a estrella: "Brilharàs, como Deus, sobre as almas!"

Muda e humilde, porém, Maria, como escrava,

Tinha os olhos na terra em lagrimas desfeitos:

Sendo pobre, temia; e, sendo màe, chorava.

Olavo Bilac, 1919.

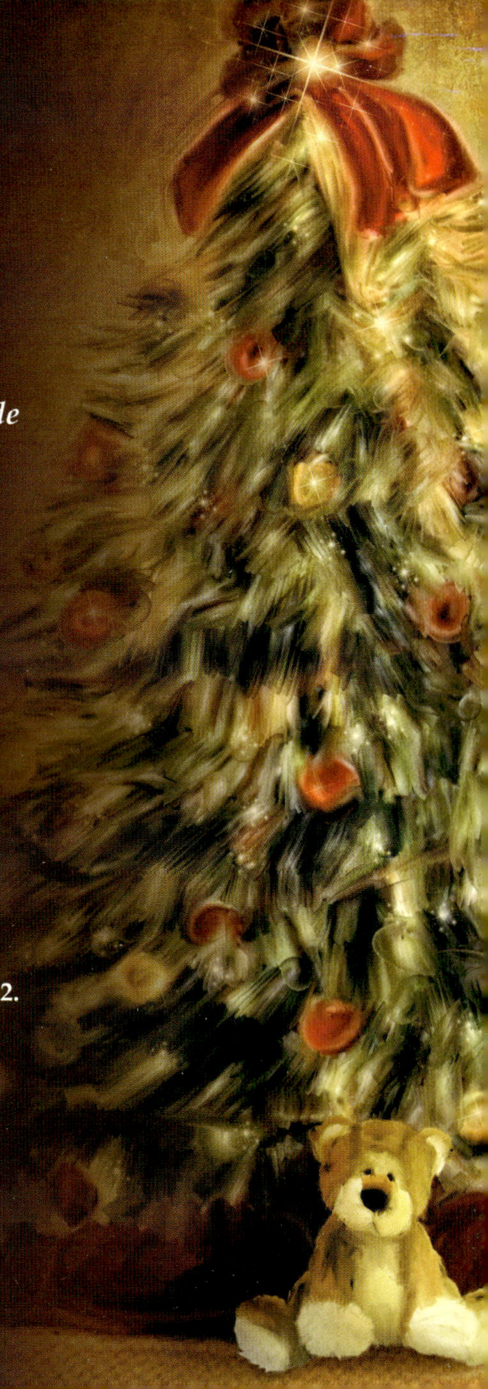

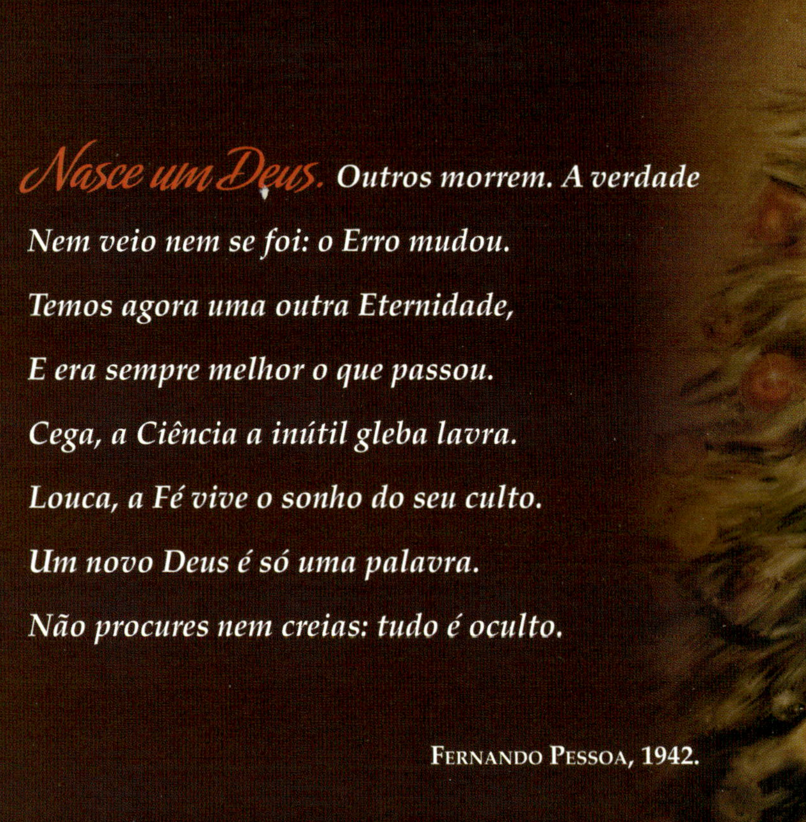

Nasce um Deus. Outros morrem. A verdade
Nem veio nem se foi: o Erro mudou.
Temos agora uma outra Eternidade,
E era sempre melhor o que passou.

Cega, a Ciência a inútil gleba lavra.
Louca, a Fé vive o sonho do seu culto.
Um novo Deus é só uma palavra.
Não procures nem creias: tudo é oculto.

FERNANDO PESSOA, 1942.

Cristãos, despertem, saúdem a manhã feliz
Em que o Salvador do mundo nasceu.
Levantem para adorar o mistério do amor
Que hostes de anjos cantaram acima.
Com eles foram iniciadas as boas novas
Do Deus encarnado e Filho da Virgem.

JOHN BYROM, 1749.

Ausentando-se deles os anjos e voltando para o céu, disseram os pastores uns aos outros: Vamos até Belém e vejamos o que aconteceu e que o Senhor nos fez saber. Foram apressadamente e acharam Maria, José, e o menino deitado na manjedoura.

Lucas 2:15-16, Bíblia Sagrada.

És bendita entre as mulheres e bendito é o fruto do teu ventre.

Lucas 1:42, Bíblia Sagrada.

O Senhor vos dará um sinal: Eis que a virgem conceberá e dará à luz um filho que será chamado pelo nome Emanuel.

Isaías 7:14, Bíblia Sagrada.

Nós somos os três reis do Oriente;

Trazendo presentes de longe,

Campos e nascentes, pântanos e montanhas,

Seguindo a estrela.

Ó estrela de maravilha, estrela de luz,

Estrela brilhante de real beleza,

Seguindo para o Oeste,

Guia-nos a tua luz perfeita.

Nasceu um rei na planície de Belém

Ouro eu trago para coroá-lo mais uma vez,

Rei para sempre,

Reinando sobre todos nós

JOHN H. HOPKINS, 1857.

Eu não sei se esta história terá leitor tão mal-aventurado, que não possua recordações e saudades associadas à noite de Natal, aquela festiva e abençoada noite, em que as ruas e os lugares públicos se despovoam, e nos lares domésticos parece crepitar e cintilar o fogo mais acalentador do que nunca.

Júlio Diniz, 1868.

É dia de Natal. *A cidade amanheceu alegre no céu festivo e azul. Os carrilhões das igrejas repicam festivamente [...] os bolos do Natal: os fartes, os sonhos, os morangos, as filhós, as queijadas, os* christmas-kacks*, os puddings, os bombons glacês. E a profusão destas exposições dá às ruas o aspecto culinário da abundância, da plenitude.*

Ramalho Ortigão, 1885.

E alli nasceu Jesus... alli a eterna,
Immensa Magestade
Appareceu no mundo – alli começa
A nova liberdade
Cantam-na os anjos que no céu pregôam
Gloria a Deus nas alturas,
E paz na terra aos homens! – Paz e gloria,
Promessas tam seguras
Do céu á terra n'esta noite santa,
O que é feito de vós?
Jesus, filho de Deus, que alli vieste
Humanar-te por nós,
Tu que mandaste os córos dos teus anjos
Aos humildes pastores

Almeida Garrett, 1841.

"Glória a Deus!" Hinos ressoam alto nos céus

"Paz na terra, aos homens de boa vontade,

Do eterno rei do céu!"

Luz sobre as suas colinas, Jerusalém!

O Salvador é nascido agora!

E resplandece nas alegres planícies de Belém

Rompe-se a primeira manhã de Natal.

EDMUND H. SEARS, 1871.

Como antigamente os homens contemplaram
a estrela-guia com contentamento
Com alegria saudaram a sua luz,
Indo avante, irradiando brilho;
Assim, mais gracioso Senhor, possamos
Sempre ser levados a ti.

Assim como com passos alegres eles seguiram
Para aquela humilde manjedoura;
Para dobrar os joelhos diante dele
E adorar aquele a quem o céu e a terra adoram;
Nós também estamos com os pés dispostos
A sempre buscar o trono da misericórdia.

Assim como eles ofereceram os presentes mais raros

Naquela manjedoura rude e nua;

Nós também possamos trazer, com santa alegria,

Pura e livre da liga do pecado,

Todos os nossos tesouros mais caros,

Cristo! A ti, nosso Rei celestial.

William C. Dix, 1859.

Granizo que abençoou a manhã,

Amanhecer feliz da redenção,

Cantam por toda Jerusalém:

Cristo nasceu em Belém.

EDWARD CASWALL, 1858.

Natal... Na província neva.

Nos lares aconchegados,

Um sentimento conserva

Os sentimentos passados.

FERNANDO PESSOA, 1927.

Ceia de Natal! *Abençoado banquete, ao qual todos se devem sentar nas mesmas disposições de ânimo em que ordenava Cristo estivessem os que fossem orar ao templo; ceia com tanto afã cozinhada*

Júlio Diniz, 1868.

Sobre a palha loura
Dorme, a rir, Jesus:
Tudo a rir se doura
De inocente luz.

Guerra Junqueiro, 1930.

O coração de todo ser humano

Foi concebido para ter piedade,

Para olhar e sentir com caridade

Ficar mais doce o eterno desengano.

Para da vida em cada rude oceano

Arrojar, através da imensidade,

Tábuas de salvação, de suavidade,

De consolo e de afeto soberano.

Sim! Que não ter um coração profundo

É os olhos fechar à dor do mundo,

ficar inútil nos amargos trilhos.

É como se o meu ser campadecido

Não tivesse um soluço comovido

Para sentir e para amar meus filhos!

Cruz e Sousa, 1905.